CW00428677

Mon GROS IMAGIER

FRANÇAIS ANGLAIS

Illustrations
Virginie Chiodo

Traduction
Lucie Burguet

Millepages

© 2018, Millepages
ISBN : 9782842184346
Imprimé en Pologne
Dépôt légal : septembre 2018
Loi n°49-956 du 16 juillet 1949
sur les publications destinées à la jeunesse

Introduction

L'objectif de cet ouvrage est de faire découvrir à l'enfant, dès le plus jeune âge, le vocabulaire de son quotidien, en français et en anglais. Chaque mot est illustré et présenté à travers un thème familier, permettant ainsi au tout-petit d'apprendre à le connaître ou à le reconnaître dans les deux langues, avant même de savoir lire.

À la fin de l'ouvrage, des petits jeux sont proposés à l'enfant, qu'il pourra faire seul ou avec l'aide d'un adulte. De manière ludique, il devra faire appel à son sens de l'observation et aux mots qu'il a rencontrés dans le livre.

Cet imagier est un excellent outil pour apprivoiser les langues française et anglaise, et se familiariser avec leur usage.

Sommaire

Table of contents

DANS LA CUISINE
IN THE KITCHEN

la table
a table

la chaise
a chair

le réfrigérateur
a refrigerator

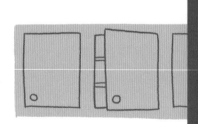

le placard
a cupboard

l'évier
a sink

le four
an oven

SUR LA TABLE
ON THE TABLE

la fourchette
a fork

la cuillère
a spoon

le couteau
a knife

l'assiette
a plate

le verre
a glass

le bol
a bowl

LES USTENSILES
KITCHENWARE

la casserole
a saucepan

la poêle
a frying pan

la marmite
a pot

la passoire
a colander

la louche
a ladle

la carafe
a carafe

DANS LE SALON
IN THE LIVING ROOM

le fauteuil
an armchair

la table basse
a coffee table

la bibliothèque
a bookcase

le canapé
a sofa

la télévision
a television

le lecteur dvd
a dvd player

LA DÉCORATION
DECORATION

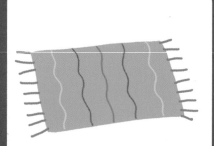

le tapis
a carpet

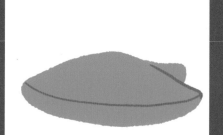

le coussin
a cushion

le bibelot
a trinket

le tableau
a painting

le vase
a vase

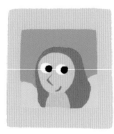

le cadre photo
a photo frame

DANS LA CHAMBRE
IN THE BEDROOM

le lit
a bed

l'armoire
a cupboard

la table de chevet
a bedside table

la lampe de chevet
a bedside lamp

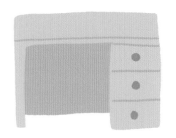

le bureau
a desk

la chaise de bureau
a desk chair

DANS LA SALLE DE BAINS
IN THE BATHROOM

la baignoire
a bathtub

le lavabo
a washbasin

la brosse à dents
a toothbrush

le dentifrice
toothpaste

le savon
soap

le shampoing
shampoo

le miroir
a mirror

la brosse à cheveux
a hairbrush

le sèche-cheveux
a hairdryer

le parfum
perfume

le gant de toilette
a facecloth

le drap de bain
a bath towel

LES OUTILS
TOOLS

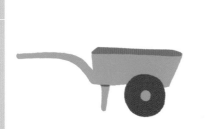

la brouette
a wheelbarrow

l'arrosoir
a watering can

le marteau
a hammer

la perceuse
a drill

la scie
a saw

le clou
a nail

la bêche
a spade

le râteau
a rake

la fourche
a fork

le tuyau d'arrosage
a hosepipe

le cutter
a craft knife

le pinceau
a brush

POUR FAIRE LE MÉNAGE
FOR HOUSEKEEPING

l'aspirateur
a vacuum cleaner

le balai
a broom

la poubelle
a bin

la serpillière
a floorcloth

le chiffon
a duster

l'éponge
a sponge

la pelle
a shovel

le seau
a bucket

le plumeau
a feather duster

le torchon
a cloth

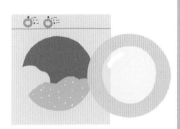

la machine à laver
a washing machine

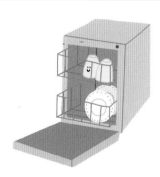

le lave-vaisselle
a dishwasher

LES AFFAIRES DE CLASSE
SCHOOL STATIONERY

le cartable
a schoolbag

le tableau noir
a blackboard

le cahier
a notebook

l'ardoise
a school slate

le crayon
a pencil

la colle
glue

18

les ciseaux
scissors

la gomme
a rubber

la trousse
a pencil case

le feutre
a felt pen

le stylo
a pen

la règle
a ruler

LES FORMES ET LES COULEURS
SHAPES AND COLOURS

le carré
a square

le cœur
a heart

le rectangle
a rectangle

le rond
a circle

les zig zags
zigzags

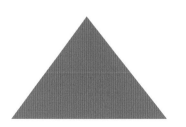

le triangle
a triangle

le losange
a diamond

blanc
white

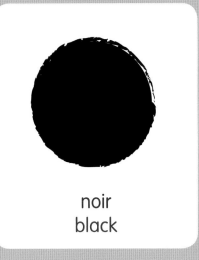

noir
black

bleu
blue

rouge
red

jaune
yellow

LES FORMES ET LES COULEURS
SHAPES AND COLOURS

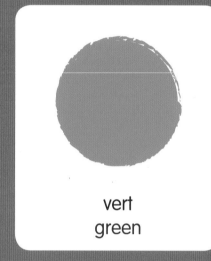

vert
green

gris
grey

marron
brown

rose
pink

violet
purple

orange
orange

LES CHIFFRES
NUMBERS

1
un
one

2
deux
two

3
trois
three

4
quatre
four

5
cinq
five

6
six
six

7
sept
seven

8
huit
eight

9
neuf
nine

10
dix
ten

L'ALPHABET
THE ALPHABET

A B C D E F G
H I J K L M N
O P Q R S T U
V W X Y Z

LES ACTIVITÉS ET LES JEUX
ACTIVITIES AND GAMES

les copains
friends

le dessin
a drawing

la peinture
paint

le pochoir
a stencil

le tampon
a stamp

le moule
a tin

LES ACTIVITÉS ET LES JEUX
ACTIVITIES AND GAMES

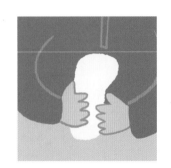

la pâte à sel
salt dough

la marelle
hopscotch

le ballon
a ball

la ronde
a round

l'élastique
an elastic

le cahier de jeux
a game book

LA TÊTE ET LE VISAGE
HEAD AND FACE

la tête
the head

les cheveux
hair

les yeux
eyes

le nez
the nose

la bouche
the mouth

les cils
the eyelashes

les sourcils
the eyebrows

les oreilles
the ears

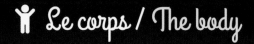
LE RESTE DU CORPS
THE REST OF THE BODY

la main
the hand

le doigt
the finger

le bras
the arm

la jambe
the leg

le pied
the foot

le buste
the chest

la cuisse
the thigh

les épaules
the shoulders

LES VÊTEMENTS
CLOTHING

la robe
a dress

le short
shorts

le pantalon
pants

le tee-shirt
a t-shirt

le pyjama
pyjamas

la chemise de nuit
a nightdress

LES VÊTEMENTS
CLOTHING

la chemise
a shirt

le manteau
a coat

le gilet
a cardigan

la jupe
a skirt

la veste
a jacket

le maillot de bain
a swimsuit

LES ACCESSOIRES
ACCESSORIES

le foulard
a scarf

l'écharpe
a scarf

la ceinture
a belt

le parapluie
an umbrella

les chaussures
shoes

les baskets
sneakers

LES ACCESSOIRES
ACCESORIES

le chapeau
a hat

la casquette
a cap

le bonnet
a hat

les bottes
boots

les lunettes de soleil
sunglasses

la montre
a watch

LES JOUETS
TOYS

le train électrique
electric train

la peluche
a cuddly toy

la poupée
a doll

la bille
a marble

la toupie
a top

le hochet
a rattle

LES JOUETS
TOYS

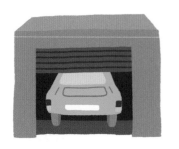

le garage
a garage

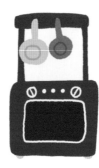

la cuisinière
a stove

la dînette
doll's tea set

le doudou
a comforter

le cube
a cube

le puzzle
a jigsaw

LA FÊTE FORAINE
THE FAIRGROUND

la grande roue
the big wheel

l'auto tamponneuse
a bumper car

le manège
a merry-go-round

la nacelle
a gondola

la pomme d'amour
a candy apple

la barbe à papa
a candy floss

LA MUSIQUE
MUSIC

le saxophone
a saxophone

le violon
a violin

le tambour
a drum

la harpe
a harp

le tambourin
a tambourin

la clarinette
a clarinet

la guitare
a guitar

le piano
a piano

la batterie
drums

le xylophone
a xylophone

la flûte traversière
a flute

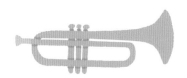

la trompette
a trumpet

LES LOISIRS
LEISURE ACTIVITIES

la piscine
the swimming pool

le terrain de sport
sports field

le musée
a museum

le cinéma
the cinema

la médiathèque
the multimedia library

la peinture
painting

la sculpture
sculpture

la statue
a statue

le ski
a ski

la luge
a sledge

le surf
a surf

le roller
a roller skate

LE PARC
THE PARC

le toboggan
a slide

le tourniquet
a merry-go-round

le bac à sable
a sandpit

le pont de singe
a rope bridge

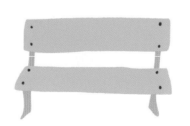

le banc
a bench

la balançoire
a swing

LES FRUITS
FRUITS

la pomme
an apple

la poire
a pear

la fraise
a strawberry

la banane
a banana

le kiwi
a kiwi

le raisin
grape

LES FRUITS
FRUITS

la pêche
a peech

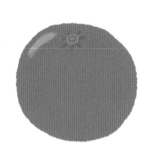

l'orange
an orange

la cerise
a cherry

le citron
a lemon

la mandarine
a tangerine

la framboise
a raspberry

la prune
a plum

l'abricot
an apricot

la figue
a fig

la mangue
a mango

le melon
a melon

le cassis
blackcurrant

LES FRUITS
FRUITS

la myrtille
a blueberry

l'ananas
a pineapple

la clémentine
a clementine

LES LÉGUMES
VEGETABLES

la tomate
a tomato

l'aubergine
an aubergine

le haricot vert
a French bean

la carotte
a carrot

le concombre
a cucumber

le poireau
a leek

LES LÉGUMES
VEGETABLES

le radis
a radish

la salade
a lettuce

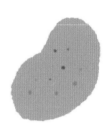

la pomme de terre
a potato

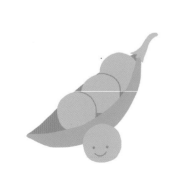

les petits pois
garden peas

la betterave
a beetroot

le poivron
a pepper

les asperges
asparagus

l'endive
a chicory

le chou-fleur
a cauliflower

le brocoli
a broccoli

le chou
a cabbage

l'artichaut
an artichoke

LES LÉGUMES
VEGETABLES

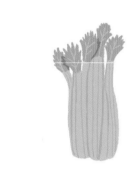

le céleri
a celery

la courgette
a courgette

la citrouille
a pumpkin

la feuille d'épinard
a spinach leaf

le navet
a turnip

LES PRODUITS LAITIERS
DAIRY

le lait
milk

le yaourt
yoghurt

le beurre
butter

le fromage
cheese

la crème fraîche
crème fraîche

SUCRÉ SALÉ...
SWEET AND SAVOURY

l'huile
oil

le vinaigre
vinegar

le sel et le poivre
salt and pepper

la moutarde
mustard

la sauce tomate
tomato sauce

la mayonnaise
mayonnaise

les cornichons
gherkins

l'oignon
an onion

l'ail
garlic

le persil
parsley

la confiture
jam

le miel
honey

GÂTEAUX ET SUCRERIES
CAKES AND SWEETS

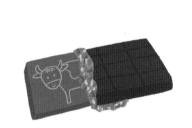

le chocolat
chocolate

le bonbon
a sweet

le caramel
fudge

les nounours
candy bears

la glace
an ice cream

la sucette
a lollipop

la religieuse
a cream puff

la tarte aux fraises
a strawberry tart

l'éclair
an éclair

le millefeuille
a millefeuille

la meringue
a meringue

le gâteau
a cake

PAIN ET VIENNOISERIES
BREAD AND PASTRIES

le pain
bread

la baguette
a baguette

le croissant
a croissant

le pain au chocolat
a pain au chocolat

le chausson aux pommes
an apple turnover

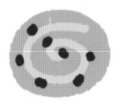

le pain aux raisins
a Danish pastry

LES TRANSPORTS
MEANS OF TRANSPORT

la voiture
a car

l'autobus
a bus

le camion
a lorry

la mobylette
a moped

le scooter
a scooter

la moto
a motorbike

LES TRANSPORTS
MEANS OF TRANSPORT

le vélo
a bicycle

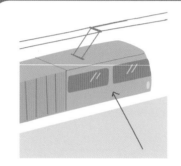

le train
a train

le taxi
a taxi

l'avion
a plane

le bateau
a boat

le paquebot
a liner

LES PLANTES
PLANTS

la mousse
moss

la fougère
a fern

le chêne
an oak

les glands
acorns

le hêtre
a beech

le marronnier
a chestnut

LES PLANTES
PLANTS

le sapin
a fir

la bogue
a bur

la feuille
a leaf

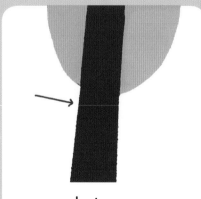

le tronc
the trunk

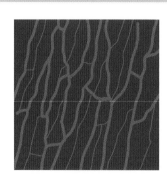

l'écorce
bark

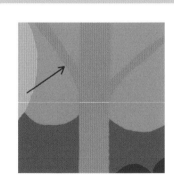

la branche
a branch

la rose
a rose

la tulipe
a tulip

le lilas
lilac

le géranium
a geranium

le coquelicot
a poppy

le muguet
lily of the valley

LES PAYSAGES
LANDSCAPES

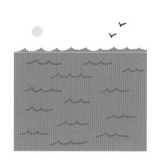

la mer
the sea

la plage
the beach

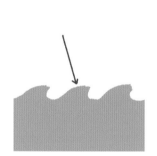

les vagues
waves

la montagne
a mountain

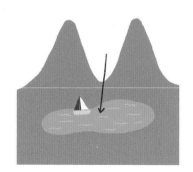

le lac
a lake

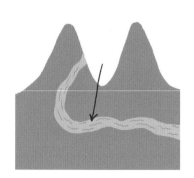

la rivière
a river

la forêt
the woods

la prairie
the meadow

les coquillages
shellfish

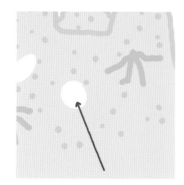

le galet
a pebble

le palmier
a palm tree

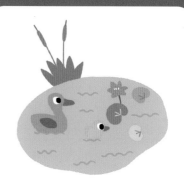

la mare
a pond

LE TEMPS ET LES SAISONS
WEATHER AND SEASONS

l'hiver
winter

le printemps
spring

l'été
summer

l'automne
autumn

le soleil
the sun

la pluie
the rain

la neige
the snow

le nuage
a cloud

LES ANIMAUX FAMILIERS
PETS

l'âne
a donkey

le canard
a duck

le chat
a cat

le cheval
a horse

la chèvre
a goat

le chien
a dog

LES ANIMAUX FAMILIERS
PETS

le cochon
a pig

le coq
a rooster

la poule
a hen

le hérisson
a hedgehog

le lapin
a rabbit

le mouton
a sheep

le mulot
a field mouse

l'oie
a goose

la tortue
a turtle

la vache
a cow

le poney
a pony

la souris
a mouse

LES ANIMAUX SAUVAGES
WILD ANIMALS

le chameau
a camel

le dromadaire
a dromedary

l'éléphant
an elephant

la girafe
a giraffe

le kangourou
a kangaroo

le koala
a koala bear

le lion
a lion

le panda
a panda bear

le serpent
a snake

le tigre
a tiger

le zèbre
a zebra

l'antilope
an antelope

DANS L'EAU
IN THE WATER

la baleine
a whale

le crocodile
a crocodile

l'hippopotame
an hippopotamus

le crabe
a crab

le poisson
a fish

le phoque
a seal

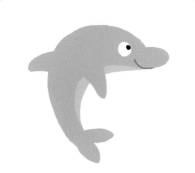

le dauphin
a dolphin

l'huître
an oyster

la moule
a mussel

le requin
a shark

le crapaud
a toad

le bigorneau
a winkle

LES OISEAUX
BIRDS

le hibou
an owl

le pigeon
a pigeon

la chouette
an owl

le rouge-gorge
a robin

la mouette
a seagull

le perroquet
a parrot

70

le pingouin
a penguin

l'aigle
an eagle

la cigogne
a stork

la mésange
a tit

le pic-vert
a green woodpecker

le toucan
a toucan

LES ANIMAUX DE LA FORÊT ET DES MONTAGNES

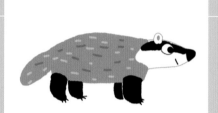

le blaireau
a badger

le chevreuil
a roe deer

l'écureuil
a squirrel

le lièvre
a hare

le renard
a fox

le sanglier
a boar

FOREST AND MOUNTAIN ANIMALS

le bouquetin
an ibex

le chamois
a chamois

le lapin
a rabbit

le loup
a wolf

la marmotte
a marmot

l'ours
a bear

LES PETITES BÊTES
BUGS

l'araignée
a spider

la chenille
a caterpillar

le papillon
a butterfly

l'abeille
a bee

la fourmi
an ant

la guêpe
a wasp

le scarabée
a beetle

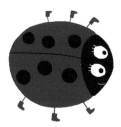

la coccinelle
a ladybird

l'escargot
a snail

le ver de terre
a worm

le moustique
a mosquito

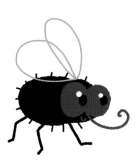

la mouche
a fly

L'anniversaire dans le jardin

The birthday in the garden

⭐ Combien y a-t-il de bougies sur le gâteau ?

⭐ Retrouve le ballon jaune.

⭐ Vois-tu la bouteille de jus d'orange ?

Chez le docteur

To the doctor's

⭐ Comment s'appelle l'objet avec lequel le docteur écoute ton cœur ?

⭐ Trouve le thermomètre.

⭐ À quoi sert le panneau avec les lettres situé derrière les enfants ?

Le jardinage
Gardening

⭐ Nomme les outils que tu vois sur l'image.

⭐ Donne les couleurs des fleurs.

⭐ Sauras-tu retrouver le ver de terre ?

La ferme

The farm

★ Combien y a-t-il
de cannetons ?

★ Comment s'appelle
le véhicule du fermier ?

★ Où dort le chien ?

Le maraîcher

The market gardener

⭐ Compte les oranges.

⭐ Quels sont
les légumes que
tu achèterais pour
préparer une soupe ?

⭐ De quelle couleur
est l'aubergine ?

Le camping

Camping

★ Combien de piquets la petite fille tient-elle dans sa main ?

★ Avec quoi le petit garçon gonfle-t-il son matelas ?

★ Trouve la lampe torche.

Les sports d'hiver
Winter sports

⭐ Trouve le surfeur
des neiges.

⭐ Où se trouvent
les télésièges ?

⭐ Invente une courte
histoire sur la petite fille
qui apprend à faire
du ski.

La pêche
aux coquillages
Shellfish fishing

★ Quel temps fait-il ?

★ De quelles couleurs
sont les chapeaux
de pluie ?

★ Combien de mouettes
vois-tu ?

La rue

The street

⭐ De quelle couleur est le camion de pompier ?

⭐ Que dois-tu porter sur la tête quand tu fais du vélo ou de la moto ?

⭐ Sauras-tu retrouver les feux tricolores ?

Index

Anglais - français